这本书属于

绿色印刷

保护环境　爱护健康

亲爱的读者朋友：

本书已入选"北京市绿色印刷工程——优秀出版物绿色印刷示范项目"。它采用绿色印刷标准印制，在封底印有"绿色印刷产品"标志。

按照国家环境标准（HJ2503-2011）《环境标志产品技术要求 印刷 第一部分：平版印刷》，本书选用环保型纸张、油墨、胶水等原辅材料，生产过程注重节能减排，印刷产品符合人体健康要求。

选择绿色印刷图书，畅享环保健康阅读！

——北京市绿色印刷工程

图书在版编目（CIP）数据

我爱你和世界一样大/（英）大卫·范·伯伦（David Van Buren）文；（英）蒂姆·华恩斯（Tim Warnes）图；王林译．—北京：化学工业出版社，2017.1
（暖暖爱儿童亲情培养绘本）
书名原文：I love you as big as the world
ISBN 978-7-122-28464-8

Ⅰ.①我…　Ⅱ.①大…②蒂…③王　Ⅲ.①儿童故事-图画故事-英国-现代　Ⅳ.①I561.85

中国版本图书馆CIP数据核字（2016）第264722号

I Love You as Big as the World
ISBN 978-1-84506-648-2

北京市版权局著作权合同登记号：01-2015-0203

责任编辑：李雅宁　　封面设计：刘丽华　　责任校对：宋　玮

出版发行：化学工业出版社（北京市东城区青年湖南街13号　邮政编码100011）
印　　装：北京方嘉彩色印刷有限责任公司
787mm×1092mm　1/12　印张2½　2017年5月北京第1版第1次印刷

购书咨询：010-64518888（传真：010-64519686）　售后服务：010-64518899
网　　址：http://www.cip.com.cn
凡购买本书，如有缺损质量问题，本社销售中心负责调换。

定　　价：16.80元

暖暖爱儿童亲情培养绘本

我爱你和世界一样大

（英）大卫·范·伯伦（David Van Buren） 文
（英）蒂姆·华恩斯（Tim Warnes） 图
王林 译

化学工业出版社
·北京·

我爱你，
和世界
一样大。

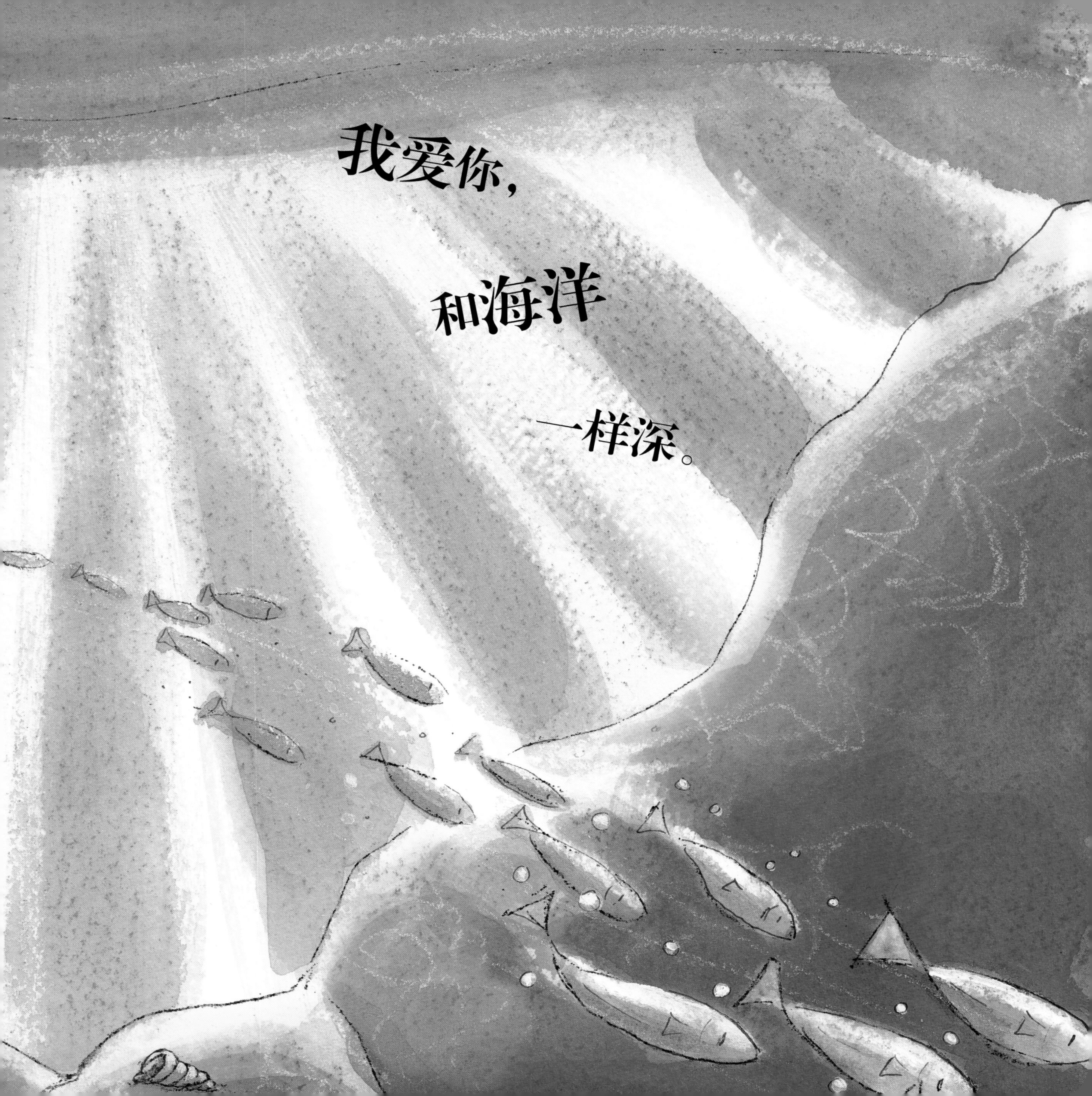

我爱你，

和海洋

一样深。

我爱你，

和太阳

一样亮。

我爱你。

我知道 你也爱我。

我爱你，
和天空
一样蓝。

我爱你，
和光阴一样长。

我爱你，

和山峰一样高。

我爱你，

有各种各样的方式。

我爱你，

像大风一样强。

我爱你，像露珠一样柔。

我爱你，像星空一样远。

我爱你，因为……

你就是你！

爱要怎么说出口

——《我爱你和世界一样大》译后记

王　林（儿童文学工作者）

“爱”，是一个简单的字眼，包含着无数的含义，也存在不同的关系中。朋友之爱、手足之爱、师生之爱、祖孙之爱、自然之爱，当然，最重要最基本的还是亲子之爱。

表现亲子之爱的图画书很多，但各不相同。有的讲一个故事，有的画一幅图画，《我爱你和世界一样大》则是一首诗。这首诗歌表达爱的语言非常直接：

我爱你，和世界一样大。/ 我爱你，和海洋一样深。/ 我爱你，和太阳一样亮。/ 我爱你。/ 我知道你也爱我。/ 我爱你，和天空一样蓝。/ 我爱你，和光阴一样长。/ 我爱你，和山峰一样高。/ 我爱你，有各种各样的方式。/ 我爱你，像大风一样强。/ 我爱你，像露珠一样柔。/ 我爱你，像星空一样远。/ 我爱你，因为……/ 你就是你！

每句直接以“我爱你”开头，用“海洋”“太阳”“露珠”“星空”等事物作譬喻，意象阔大而丰富。最后以“我爱你，因为你就是你”作结，意味深长，表明爸爸妈妈爱孩子，是没有条件的，因为每个孩子都是独特的个体，都是独立的存在。

以诗歌形式直接表达“爱”的主题并不多。如果没有图画，自然读起来会觉得枯燥。画面中出现了大熊和小熊，毛茸茸、憨憨的模样，给了小读者另一种安全感。配合文字的是一直形影不离的大熊和小熊，它们漫步在蓝天白云下，阳光海滩下，花木草丛间，好不惬意，直到小熊沉沉睡去，大熊还在耳边念叨着“我爱你”！

这类绘本常被称为“睡前绘本”，也就是睡觉前爸爸妈妈念给孩子听的绘本，帮助孩子驱赶梦魇，甜蜜入睡。不论是文字还是图画，传达出的都是“陪伴”的意义。以中国人的含蓄而言，日常生活中并不习惯说“我爱你”，那就不如在睡前，借助这本图画书，直接把爱说出口！